여기가 어디야?

여기

글 김미혜 그림 차선희

선생님과 학부모님께

이 그림책은 초기 문해력 교육을 위한 수준 평정 그림책입니다.
아이의 읽기 행동을 관찰하고 기록한 결과를 바탕으로 아이의 눈높이에 맞는
책을 골라 주세요. 아이 스스로 책을 선택할 수 있게 해 주시면 더 좋아요.
그리고 가정과 학교에서 아이와 함께 안내된 읽기를 해 주세요.
이 책에는 한글의 네 번째 모음 'ㅕ'가 들어간 '여기'라는 낱말이 반복해서 나옵니다.
책을 읽으면서 가정이나 학교 주변의 장소들에 대해 이야기를 나누고
"여기는 ○○이에요/예요."라는 문장 표현을 연습해 보세요. 안내견에 대해서
더 알아보거나 '여기', '저기', '거기' 등 장소를 나타내는 지시 대명사를 넣어
문장을 만들어 볼 수도 있습니다.

우리 학교

여기가 어디야?

우리 학교 운동장

여기가 어디야?

우리 교실

여기서 기다려.

이 책은 _____ 의 것입니다.

여기

ⓒ 김미혜, 차선희, 2025

2025년 11월 3일 처음 펴냄

글쓴이 김미혜 | **그린이** 차선희 | **편집** 이진주 | **디자인** 더디앤씨 | **인쇄** 보명C&I | **제작** 세종PNP
펴낸이 김기언 | **펴낸곳** 교육공동체 벗 | **이사장** 오정오 | **사무국** 최승훈, 설원민, 공현
출판등록 제2011-000022호(2011년 1월 14일) | **주소** (03998) 서울시 마포구 월드컵북로7길 76-12 102호
전화 02-332-0712 | **전송** 0505-115-0712 | **홈페이지** communebut.com

ISBN 978-89-199-0 67700
ISBN 978-89-195-2(세트)

여기	BFL	0
	어절 수	15